Kairós

Kairós

Padre Marcelo Rossi

principium

Preparação de texto, projeto gráfico e diagramação: Crayon Editorial
Revisão: Ana Maria Barbosa, Huendel Viana e Andressa Bezerra Corrêa
Consultor editorial: Cláudio Fragata
Design de capa: Andrea Vilela de Almeida
Foto de capa: Marco Pinto

Os direitos autorais desta obra serão revertidos para a conclusão do Santuário Theotokos – Mãe de Deus.

Texto fixado conforme as regras do Acordo Ortográfico da Língua Portuguesa (Decreto Legislativo nº 54, de 1995).

Dados Internacionais de Catalogação na Publicação (CIP)
(Câmara Brasileira do Livro, SP, Brasil)

Rossi, Marcelo
    Kairós / Marcelo Rossi. – 1. ed. – São Paulo: Globo, 2013.

    ISBN 978-85-250-5400-5

    1. Amor - Aspectos religiosos - Cristianismo 2. Deus - Amor 3. Tempo
4. Vida cristã I. Título.

13-03430   CDD-231.7

Índice para catálogo sistemático:
1. Tempo de Deus : Aspectos religiosos : Cristianismo 231.7

1ª edição, 2013
8ª reimpressão, 2014

Editora Globo S.A.
Av. Jaguaré, 1485 – Jaguaré
05346-902 – São Paulo – SP
www.globolivros.com.br

Aos meus pais, Vilma e Antônio
Ao meu saudoso avô Alfredo
Às minhas irmãs, Martinha e Mônica
Aos meus sobrinhos, Lucas e Matheus
Aos meus tios, Ede e Wilson
Ao meu padrinho Sérgio

Porque família é tudo.

Agradecimentos

Ao meu bispo, meu eterno mestre,
DOM FERNANDO ANTÔNIO FIGUEIREDO

Aos meus inspiradores,
TIA LAURA
MONSENHOR JONAS ABIB

Aos meus irmãos queridos,
PADRE FÁBIO DE MELO
MAURO PALERMO
KELY LEONEL

Sumário

Prefácio

Este livro é filho do tempo. O autor o concebeu a partir de sua sensível forma de perceber o mundo. Quando o desassossego lhe visitou o coração, ousou extrair as palavras que pulsam na superfície do cotidiano, toda vez que a vida não acontece do jeito e no tempo que havíamos programado.

Este livro nasceu das entranhas dos dias, do inevitável movimento das horas, da dinâmica existencial que nos faz sofrer a demora das esperas, de nossa incapacidade de lidar com o entrelaçamento de passado, presente e futuro.

Sim, a vida nos mostra. É preciso sabedoria para que não sejamos estrangulados pelo peso desse encontro. É compreensível. São três tempos disputando o espaço de um só coração. O passado, com sua facilidade de nos imputar culpas, tornando nossa vida um eterno tribunal, cujo julgamento nunca poderá nos conceder uma sentença satisfatória. O presente, com suas pressões que nos cegam, com urgências que nos privam de saborear as escolhas. E o futuro, esse senhor misterioso tecido de névoas, esperanças e incertezas.

O ser humano nunca foge a esse conflito. É no trevo desse encontro que nos descobrimos cronológicos. O relógio nos comanda. A estrutura de nossa vida passa por agendas repletas de compromissos. Eles cumprem o ofício de nos dar a breve sensação de utilidade. Quanto mais cheia, melhor. Grifamos os dias no calendário, e nos grifos nos equivocamos. Reservamos horas preciosas às futilidades. Maquiamos o frívolo, damos a ele uma falsa essencialidade. Posicionados na convergência dos três tempos, sofremos as consequências de não sabermos articulá-los com sabedoria. Presenteados pelo presente, renunciamos ao dom que ele representa. Focados em passados e futuros, colocamos nosso empenho em terrenos ardilosos, gastamos nosso sangue com questões que só o distanciamento nos mostrará que eram inúteis.

Mas nunca é tarde para reformular essa relação. Há um ponto de onde podemos partir. A sabedoria bíblica nos ensina que "para tudo há um tempo, para cada coisa há um momento debaixo do céu" **(Ecl 3,1)**. Viver sabiamente talvez seja isso. Alcançar a serenidade que nos permite sorver bem um dia de cada vez. O preceito é sugestivo. Nele está latente a articulação harmoniosa da cronologia. Passado e futuro se prestando a banhar o presente com a luz do discernimento.

Este livro nasceu de um coração sacerdotal. Brotou de um homem afeito à liturgia das horas, à oração que congrega toda a Igreja, que embora espargida em cinco continentes, e vivendo fusos diversos, converge para o movimento de uma mesma prece. A oração não se prende ao Khronos. Dele parte, mas o ultrapassa. As vozes humanas quebram os grilhões das horas, a prece desfaz o condicionamento que aprisiona o universo. Não é noite nem dia. É eterno.

É a partir dessa mística que descobrimos o Kairós: o tempo que não é tempo, o momento que quebra o determinismo dos outros momentos, a luz que desfaz o monocromático da rotina e banha com novo sentido, novas cores, a cronologia que nos envolve. E então compreendemos a espera como preparo do "momento oportuno". A oração nos ajuda a compreender os limites humanos. O que antes nos torturava recebe o batismo dos altares. A liturgia que celebramos nos resgata do absurdo. O sacramento desfaz as regras do Khronos. O ausente fica presente, a palavra já dita volta a dizer. A salvação se atualiza em nós por meio de gestos sacramentais.

A celebração litúrgica se mistura à nossa vida, assim como a gota de água, símbolo de tudo o que é humano, se mistura ao vinho, símbolo de tudo o que é Divino. No cálice estamos inteiros. Deus e nós. Distintos, mas congregados. E após comungarmos do banquete e da palavra, o Cristo passa a se esconder em nós. E escondido, revela-se. É o processo da conversão. Na cronologia que nos cerca, Ele semeia o Seu tempo de graças. Envolvidos por Sua ação generosa, avançamos na Sua direção. A mentalidade antiga e tão marcada por posicionamentos mesquinhos vai dando espaço a uma aperfeiçoada forma de olhar para o mundo. E então seremos modificados nas mais simples percepções. Compreendemos que Deus nos protege quando adia nossos sonhos. Que nos diz sim mesmo quando nos nega o que pedimos. Que nos livra de sofrimentos maiores quando nos frustra.

Padre Marcelo Rossi sabe bem o que significa isso. Volto a dizer: este livro é filho do tempo. Nasceu da necessidade de compreender, no silêncio do coração, que nem sempre a hora determinada por nós como certa é a hora escolhida por Deus. Requer liberdade interior para saber identificar essa aparente contradição. Essa liberdade só nos vem pelas mãos da sabedoria que provém dos céus. Saber identificar o "momento certo" carece estar povoado pela presença Divina.

Este é o nosso empenho. Ampliar os estreitos territórios do coração para que nele Deus venha morar. A Teologia nos sugere: Deus já está todo em nós. Em Sua decisão amorosa de se revelar plenamente em Jesus, Ele se estabeleceu definitivamente no coração humano. Mas é necessário retirar os obstáculos que O impedem de ser visto quando vivemos.

É a dinâmica do "já" e do "ainda não". É a Teologia a nos retirar da mira do tempo, concedendo-nos o conforto de antecipar na história tudo aquilo que esperamos viver no céu. Somos a Igreja que caminha na direção da identidade cristã. Somos criados à imagem e semelhança Divina, mas estamos constantemente ameaçados pela dissemelhança. Deverá ser nosso empenho: receber a graça do Altíssimo e atualizá-la na vida da Igreja. Deverá ser nossa missão: facilitar a manifestação do Kairós na vida do mundo.

A revelação de Deus na história passou pelo acolhimento generoso de homens e mulheres, que experimentaram na carne o desafio de oferecerem ao Senhor, o tempo de sua vida. Este livro reúne belíssimos exemplos desse empenho.

Estou certo de que se trata de mais um poderoso instrumento oferecido a todos os que se dispõem a descobrir o Kairós como um estilo de vida. Sim, o Kairós é o tempo dos altares, dos sacrifícios que santificam o que é humano, no qual prevalecem as liturgias, os cantos que encaminham a alma à contemplação que lhe permite ver com novos olhos os dias que passam.

Talvez seja por isso que a religião se apresente como uma segunda via. Frente ao tempo cronológico, que nos esmaga, ela nos ensina o Kairós como tempo que nos salva. Paralelo ao Khronos está o tempo da graça, da oportunidade que nos encaminha ao fundamental da vida.

Padre Marcelo nos convida a viver esse desafio. Eu aceitei. A leveza destes escritos já me fez esquecer o tempo. Aceite você também.

Com meu carinho e bênção,
PADRE FÁBIO DE MELO

Introdução

Em meu livro anterior, *Ágape*, mostrei como é generoso o amor de Deus por todos nós e o quanto esse amor pode transformar homens e mulheres. Como muitos de vocês sabem, o livro fez um sucesso extraordinário e foi lido por milhões de pessoas. Isso significa que milhões de pessoas foram tocadas e abençoadas pelo amor maior, o que me deixou pleno de alegria e com um forte sentimento de missão cumprida.

Aonde eu ia, ouvia o testemunho de pessoas que mudaram suas vidas depois da leitura de *Ágape* ou que obtiveram até mesmo curas espirituais e físicas. Fiquei feliz em servir ao Senhor e perceber que sou o instrumento que Ele usa para semear Suas palavras desde que abracei o sacerdócio.

A comoção causada por *Ágape* me aproximou ainda mais de meus amados. Senti a imensa alegria em ver tantas pessoas abençoadas pela graça de Deus, felizes na renovação da fé, glorificando o poder do Espírito Santo.

Mas uma coisa me entristeceu. Percebi que, entre os milhões que seguiam confiantes no amor de Deus e perseverantes em sua fé, ainda havia aqueles que se queixavam. Alguns se aproximavam de mim e diziam: "Padre, li o seu livro, fiz as orações, mas até agora Deus não me atendeu". Outros falavam: "Acho que Deus não me ouve ou se esqueceu de mim". Mais triste era a lamentação daqueles que estavam prestes a perder a fé: "Padre, cansei de esperar por um milagre...".

Ah, o tempo... Sempre o tempo causando esperas. Sempre o tempo fazendo parecer que as esperas jamais terão fim.

Mas de que tempo falavam meus amados?

Senti que mais uma vez Deus me chamava. Mais uma vez, Ele colocava em minhas mãos a necessidade de escrever. Do mesmo modo como havia escrito sobre o Amor Ágape, o amor Divino, era imperioso que eu escrevesse sobre o tempo de Deus, tão diferente daquele marcado em nossos relógios.

Assim nasceu *Kairós*.

O homem moderno emprega apenas uma palavra para dar significado ao tempo. Mas os gregos da Antiguidade usavam duas: *khronos* e *kairos*.

A primeira, *khronos*, refere-se ao tempo cronológico e sequencial, aquele marcado pelo sol e pela lua, pelo dia e pela noite, pela mudança das estações e pela época das colheitas. É o tempo que se mede e que hoje contamos em nossos relógios, celulares e computadores.

A segunda palavra, *kairos*, que em português escrevemos *kairós*, tinha para os gregos o significado de "momento certo" ou "momento oportuno". É uma ocasião indeterminada no tempo em que algo especial acontece. A palavra é usada em teologia para descrever o "tempo de

Deus". Não é um tempo *quantitativo*, como *khronos*. Não pode ser medido porque é um tempo diferente. É um tempo *qualitativo*.

Khronos, o tempo dos homens.

Kairos, o tempo de Deus.

Cabe aqui, amados, lembrá-los das palavras do apóstolo Pedro em sua Segunda Epístola: "Mas há uma coisa, caríssimos, de que não vos deveis esquecer: um dia diante do Senhor é como mil anos, e mil anos como um dia" **(2Pd 3,8)**.

Deus tem um Kairós reservado para cada um de nós. Um tempo em que o sofrimento cessa e a felicidade se instala em nossos corações. Um tempo em que a enfermidade abandona o corpo já exausto e a saúde volta a regenerar as forças. Um tempo em que o pai deixa o álcool e retorna ao convívio da família. Um tempo em que o filho abandona as drogas e regressa para junto dos verdadeiros amigos. Um tempo em que o casal que se separou por causa de um mal-entendido se reconcilia e volta a viver unido pelo amor.

Quanto tempo o Kairós leva para acontecer?

Não cabe a nós saber. Ele virá quando Deus achar oportuno que venha.

Recordo-me que, ainda muito jovem, assisti ao filme *A Bíblia*, do diretor americano John Huston, que hoje é um clássico do cinema mundial. Jamais me esqueci de uma cena em que Abrãao fala para Ló: "O entendimento de Deus não é o nosso entendimento. E o que acontecerá e como terminará não cabe a nós saber. Somente na promessa do que há de vir podemos prosperar".

É assim que devemos proceder. Precisamos acreditar nas promessas de Deus enquanto esperamos por Sua graça. O que cabe a nós é crer em Suas palavras e ampararmo-nos na fé. Recolhermo-nos na oração é a melhor forma de nos fortalecer enquanto o nosso Kairós não vem.

Mais uma vez, lembro as palavras de Pedro: "Portanto, caríssimos, esperando essas coisas, esforçai-vos em ser por Ele achados sem mácula e irrepreensíveis na paz" **(2Pd 3,14)**.

Enquanto esperamos o Kairós de Deus, aproveitemos para nos tornar pessoas melhores, para amar nossos irmãos, para espalhar esperança e gentileza, para respeitar idosos e crianças, para nos arrepender de nossos pecados.

A Bíblia está repleta de personagens que souberam esperar pelo tempo de Deus. Jó, que suportou todos os suplícios do corpo e do espírito amparado em sua fé no Senhor. Abraão, que foi testado por Deus até com o sacrifício do filho Isaac. Jacó, que trabalhou como escravo por longos catorze anos até obter a bênção de se casar com Raquel.

Escolhi alguns desses personagens para ser os protagonistas deste livro. Percebi que por meio de Jonas, Moisés, José do Egito, Isaías e Maria, mãe de Jesus, ficava mais fácil escrever sobre o real significado de Kairós. Todos esses personagens passaram por situações de incompreensão, sofrimento e provação até que Deus transformasse suas vidas quando Ele entendeu que era o momento certo.

Sei que vocês, meus amados, lendo estas histórias, poderão se colocar no lugar deles e descobrir um novo modo de suportar as dificuldades que rodeiam suas vidas no presente momento.

Também como forma de renovar as esperanças, vocês encontrarão no final de cada capítulo orações que escrevi com o propósito de aliviar o coração de meus amados. Sempre digo, e lembro mais uma vez aqui, que rezar é a melhor maneira de permanecer em paz. Estou certo de que as palavras dessas orações os levarão para mais perto de Deus.

Há ainda uma bênção especialmente dedicada aos leitores deste livro. Foi inspirado pela certeza de que somos seres iluminados pelo Espírito Santo, porque fomos criados à imagem e semelhança do Pai, que busquei as palavras dessa bênção. Recorra à bênção sempre que precisar reencontrar forças para seguir em frente, sempre que o Khronos dos homens trouxer ansiedade e angústia. É com a autoridade que recebi da Igreja que abençoo cada um de vocês. É com a fé que tenho em Jesus e em Maria que me coloco ao lado de vocês até que venha o tempo Kairós.

Tão importante quanto entender o amor Divino é entender o tempo de Deus. Só assim conseguiremos controlar nossas ansiedades e cultivar nossa paciência. Na Epístola aos Romanos, no Novo Testamento, está escrito: "Aliás, sabemos que todas as coisas concorrem para o bem daqueles que amam a Deus, daqueles que são os eleitos, segundo os Seus desígnios" **(Rm 8,28)**. Quando Deus fala em todas as coisas, está incluindo as coisas ruins também. No tempo Dele, entretanto, tudo se converterá em bem, pois esse é o propósito que Ele tem para todos os que esperam na fé.

Quem compreende o Kairós alcança o Ágape. Porque Deus sabe o momento certo de nos abençoar com Sua graça.

Que a fé de vocês, meus amados, possa aumentar ao término da leitura deste livro. Que as palavras e orações aqui registradas fortaleçam seus corações enquanto Deus prepara o Kairós de suas vidas.

Com a minha bênção sacerdotal,
PADRE MARCELO ROSSI

1
Abraão

1 *O Senhor disse a Abrão: "Deixa tua terra, tua família e a casa de teu pai e vai para a terra que eu te mostrar.* **2** *Farei de ti uma grande nação; eu te abençoarei e exaltarei o teu nome, e tu serás uma fonte de bênçãos.* **3** *Abençoarei aqueles que te abençoarem, e amaldiçoarei aqueles que te amaldiçoarem; todas as famílias da terra serão benditas em ti".* **(Gn 12,1-3)**

1 *Depois desses acontecimentos, a palavra do Senhor foi dirigida a Abrão, numa visão, nestes termos: "Nada temas, Abrão! Eu sou o teu protetor; tua recompensa será muito grande".* **2** *Abrão respondeu: "Senhor Javé, que me dareis Vós? Eu irei sem filhos, e o herdeiro de minha casa é Eliezer de Damasco".* **3** *E ajuntou: "Vós não me destes posteridade, e é um escravo nascido em minha casa que será o meu herdeiro".* **4** *Então a palavra do Senhor foi-lhe dirigida nestes termos: "Não é ele que será o teu herdeiro, mas aquele que vai sair de tuas entranhas".* **5** *E, conduzindo-o fora, disse-lhe: "Levanta os olhos para os céus e conta as estrelas, se és capaz... Pois bem – ajuntou Ele – assim será a tua descendência".* **6** *Abrão confiou no Senhor, e o Senhor lho imputou para justiça.* **(Gn 15,1-6)**

Na Bíblia há grandes personagens. Em geral, são homens e mulheres sábios, que souberam esperar pela graça de Deus apesar das duras provações que tiveram de suportar.

Abraão é um desses personagens. Ele aparece logo no começo do Gênesis, o primeiro Livro do Antigo Testamento. Quando lemos a Palavra de Deus desde o início, descobrimos a força da fé desse homem extraordinário. Sua história nos serve de exemplo e apoio naqueles momentos em que a nossa própria fé vacila e não sabemos o que fazer e nem para onde ir.

Como Abraão poderia ser pai de vários povos se já era muito idoso e sua mulher, Sara, não podia ter filhos por ser estéril? Apesar de todas as evidências contrárias, Abraão não hesita em atender ao chamado divino e deixa a terra natal com destino a Canaã, o território indicado por Deus. Mas custa a acreditar que ainda terá um filho. Pensa em fazer seu herdeiro o fiel servo Eliezer. Afinal, ele está com quase cem anos e sua mulher com noventa. Acontece que o tempo de Deus é diferente do tempo dos homens...

Como Sara também não acredita que pudesse ser mãe com idade tão avançada, sugere a Abraão que se deite com a escrava Agar para gerar um descendente. Esse era um costume comum naquela época quando uma esposa não podia ter filhos. Abraão concorda com Sara e fecunda a escrava. Assim nasce Ismael, mas não era essa criança o herdeiro prometido por Deus.

O grande Kairós na vida de Abraão acontece quando o Senhor surge diante dele. Até esse dia ele se chamava Abrão. Deus o rebatiza de Abraão, que em hebraico significa "pai de uma multidão". E anuncia que aquele que espalhará sua descendência pelo mundo será Isaac, seu filho com Sara. Abraão já não duvida mais das palavras de Deus e se prostra com o rosto no chão em obediência.

Devemos tomar esse instante de graça da vida de Abraão como inspiração e deixar tudo o que nos afasta de um verdadeiro encontro com Deus: nossa preguiça, nossas dúvidas, nossos apegos, nossos pecados...

Abraão é um exemplo de fé porque confiou verdadeiramente em Deus. Até alcançar essa confiança, teve seus momentos de fraqueza e indecisão, como costuma acontecer com todos nós. Ele errou quando concebeu um filho com a escrava Agar, apesar da promessa Divina de que teria um descendente com Sara. Mas isso mostra que Deus está sempre pronto a nos dar uma nova oportunidade e que nada é impossível para Ele. Abraão se torna pai de Isaac aos cem anos, e seus descendentes se espalham pela Terra.

Aqui percebemos também que o tempo de Deus não é o tempo do mundo. Quando o Senhor promete um filho a Abraão, não diz quando isso acontecerá. A única coisa que Abraão precisa fazer é confiar em Suas palavras. Sara, iludida com Khronos, o tempo do mundo, não tinha a mesma fé. Ofereceu Agar a Abraão e, depois disso, graves desentendimentos surgiram entre elas. Conflitos que ainda não tiveram fim, pois os descendentes de Ismael vivem até hoje em guerra com os descendentes de Isaac. São os árabes e judeus em permanente luta pela posse de território; irmãos que matam irmãos, numa triste repetição através dos séculos.

Aprendemos com a leitura desses textos bíblicos a importância de ouvir e acolher a Palavra do Pai. Para Deus nada é impossível. Basta que você confie e tenha fé, como fez Abraão, e tudo acontecerá naturalmente.

É como na história que costumo contar sobre o jovem que precisava de um emprego. Deus indicou-lhe um trabalho. O jovem foi até o local designado, mas quando viu a fila com milhares de pessoas disputando a vaga, desistiu e voltou para casa. Na manhã seguinte, o jovem voltou a rogar a Deus: "Ah, preciso tanto de um emprego...". E Deus lhe respondeu: "Mas aquele emprego era seu, foi você que desistiu dele".

Isso mostra que devemos ser persistentes e obedecer a Deus. Ele faz o impossível, mas nós também precisamos fazer a nossa parte. Com naturalidade, sem usar artifícios para impor a nossa vontade e, menos ainda, sem lançar mão de meios ilícitos para atingir o que queremos. Aí já não será a vontade de Deus, mas apenas o nosso frágil desejo e a cegueira da ambição.

Neste primeiro momento de meditação, vamos pedir sabedoria para compreender e cumprir o que Deus nos diz. Abraão é exemplo de obediência e de fé. Vamos mantê-lo sempre vivo em nossas mentes e em nossos corações.

OREMOS

Senhor Deus, peço perdão pelas vezes em que estou preso em meu egoísmo, em minhas atividades diárias, e esqueço-me de Ti.

Muda minha vida, Senhor. Assim como Abraão confiou em Ti e foi fiel, a exemplo dele quero ser fiel a Tua palavra.

Tira a desobediênca e a falta de fé que às vezes moram em meu coração.

Faz de mim uma nova pessoa. Que o Kairós de Deus aconteça realmente em minha vida e na vida de meus entes queridos. Que assim possamos viver numa sociedade de amor e paz.

Obrigado, meu Deus.

Amém.

2
José do Egito

15 *Os irmãos de José, vendo que seu pai morrera, disseram entre si: "Será que José nos tomará em aversão e irá vingar-se de todo o mal que lhe fizemos?".* **16** *Mandaram, pois, dizer- -lhe: "Antes de morrer, teu pai recomendou-nos* **17** *que te pedíssemos perdão do crime que teus irmãos cometeram, de seu pecado, de todo o mal que te fizeram. Perdoa, pois, agora esse crime àqueles que servem o Deus de teu pai". Ouvindo isso, José chorou.* **18** *Seus irmãos vieram jogar-se aos seus pés, dizendo: "Somos teus escravos!".* **19** *José disse-lhes: "Não temais: posso eu pôr-me no lugar de Deus?* **20** *Vossa intenção era de fazer-me mal, mas Deus tirou daí um bem; era para fazer, como acontece hoje, com que se conservasse a vida a um grande povo.* **21** *Não temais, pois: eu vos sustentarei a vós e a vossos filhos". Essas palavras, que lhes foram direto ao coração, reconfortaram-nos.* **(Gn 50,15-21)**

Escolhi José do Egito para este capítulo porque é um dos personagens bíblicos de que mais gosto. É filho de Jacó, neto de Isaac e bisneto de Abraão. Talvez você já tenha ouvido falar nele. Há livros e filmes que contam sua história, e algumas passagens de sua vida serviram de tema para mestres da pintura como Caravaggio e Rembrandt. É sempre bom lembrar o exemplo de José.

Penúltimo dos doze filhos de Jacó e Raquel, José permaneceu como caçula por muitos anos até que nascesse Benjamim. Seus irmãos sentiam ciúme do afeto que Jacó dispensava a José e o venderam como escravo. José passou por muitas provações, mas em nenhum momento duvidou: permaneceu sempre firme em Deus e em Seus ensinamentos.

Quando leio este versículo da Bíblia, logo o associo a José: "**5** Enquanto viveres, ninguém te poderá resistir; estarei contigo como estive com Moisés; não te deixarei nem te abandonarei. **6** Sê firme e corajoso, porque tu hás de introduzir esse povo na posse da terra que jurei a seus pais dar-lhes. **7** Tem ânimo, pois, e sê corajoso para cuidadosamente observares toda a lei que Moisés, meu servo, te prescreveu. Não te afastes dela nem para a direita nem para a esquerda, para que sejas feliz em todas as tuas empresas. **8** Traze sempre na boca (as palavras) deste livro da lei; medita-o dia e noite, cuidando de fazer tudo o que nele está escrito; assim prosperarás em teus caminhos e serás bem-sucedido. **9** Isto é uma ordem: sê firme e corajoso. Não te atemorizes, não tenhas medo, porque o Senhor está contigo em qualquer parte para onde fores" **(Js 1,5-9)**.

Essas palavras traduzem bem a conduta de José. Com a determinação de sua fé, ele venceu todas as atribulações que encontrou pelo caminho e se tornou o principal auxiliar do faraó do Egito. Nem por isso se deixou levar pelo orgulho, porque sabia que era apenas um instrumento nas mãos do Senhor.

Para mim, o Kairós na existência de José aconteceu quando ele percebeu que só tinha Deus em sua vida e não podia contar com mais ninguém. Ele foi vendido por seus irmãos, foi levado a lugares estranhos, conviveu com gente estrangeira, mas não desistiu. Com Deus, ele seguiu em frente.

Hoje somos convidados a imitar as atitudes de José. Nem sempre isso é fácil, e muitas vezes esmorecemos. Quando passamos por grandes dificuldades, nossa primeira atitude é resmungar ou sentir medo. Alguns de nós chegam até a desistir de Deus!

Mas, com a graça Divina, o Senhor quer fazer um Kairós em sua vida. Passar por provações faz parte do plano de Deus para nos fazer fortes Nele. Por isso, seja qual for o seu problema, entregue-se verdadeiramente ao Pai Eterno.

José, antes de se tornar o segundo homem mais poderoso do Egito, passou por muitas provações. Para não pecar, fugiu da sedução da mulher de Putifar, um oficial da guarda pessoal do faraó. Mas ela o acusou falsamente, e José foi para a cadeia, onde passou preciosos anos de sua vida. Ele não sabia, mas Deus o estava preparando para os anos difíceis que ainda viriam.

Os sofrimentos tornaram-no forte. Fizeram dele um homem de sabedoria e de entendimento da vontade de Deus. Por isso, durante os sete anos de escassez de alimentos que se abateram sobre o Egito, José pôde salvar milhares de pessoas da seca e da fome. Você já ouviu falar em "tempo das vacas magras"? A expressão nasceu dessa passagem da Bíblia, e José venceu esse período tão árduo.

Acredite, Deus fez você para uma missão. Permita que Ele o conduza. Permita que o Kairós aconteça em você. Permaneça firme em Deus, e todas as coisas irão prosperar, mesmo em meio a sofrimentos que pareçam insuportáveis. O que vem depois é bonança, essa é a palavra do Pai.

Você pode ser um José de nosso tempo. Em meio a tantas coisas erradas que acontecem neste mundo, escolha a vida, escolha a honestidade, escolha a pureza. Você alcançará o seu Kairós e será um sinal de Deus na vida dos outros.

OREMOS

Meu Deus, hoje entendo que o sofrimento me
faz forte. Peço perdão por todas as vezes que
não tive a compreensão do que me acontecia
e reclamei e me revoltei. Eu me arrependo,
Senhor!
Sei que Tu não me condenas. Ao contrário, Tu me
amas como sou, com minhas fraquezas, defeitos
e qualidades. Mas sei também que Tu queres
fazer de mim uma pessoa melhor.
Vem, Senhor! Faz uma restauração em minha
alma, quero ter um encontro pessoal Contigo.
Quero um Kairós em minha vida.
Confio em Ti, Senhor, e esperarei pelo Teu tempo.
Amém.

3
Moisés

1 *Moisés apascentava o rebanho de Jetro, seu sogro, sacerdote de Madiã. Um dia em que conduzira o rebanho para além do deserto, chegou até a montanha de Deus, Horeb.* **2** *O anjo do Senhor apareceu-lhe numa chama (que saía) do meio a uma sarça. Moisés olhava: a sarça ardia, mas não se consumia.* **3** *"Vou me aproximar – disse ele consigo – para contemplar esse extraordinário espetáculo, e saber por que a sarça não se consome."* **4** *Vendo o Senhor que ele se aproximou para ver, chamou-o do meio da sarça: "Moisés, Moisés!". "Eis-me aqui!" – respondeu ele.* **5** *E Deus: "Não te aproximes daqui. Tira as sandálias dos teus pés, porque o lugar em que te encontras é uma terra santa.* **6** *Eu sou – ajuntou Ele – o Deus de teu pai, o Deus de Abraão, o Deus de Isaac e o Deus de Jacó". Moisés escondeu o rosto, e não ousava olhar para Deus.* **7** *O Senhor disse: "Eu vi, eu vi a aflição de meu povo que está no Egito, e ouvi os seus clamores por causa de seus opressores. Sim, eu conheço seus sofrimentos.* **8** *E desci para livrá-lo da mão dos egípcios e para fazê-lo subir do Egito para uma terra fértil e espaçosa, uma terra que mana leite e mel, lá onde habitam os cananeus, os hiteus, os amorreus, os ferezeus, os heveus e os jebuseus.* **9** *Agora, eis que os clamores dos israelitas chega-*

ram até mim, e vi a opressão que lhes fazem os egípcios. **10** *Vai, eu te envio ao faraó para tirar do Egito os israelitas, meu povo".* **(Ex 3,1-10)**

Depois de Abraão, Isaac, Jacó e José, Deus continua procurando pessoas, homens e mulheres, que, mesmo apesar de fraquezas, dúvidas e temores, se tornem um instrumento poderoso em Suas mãos. Um instrumento para Seu propósito, que é o de aperfeiçoar os homens e espalhar o amor Divino na Terra. E para isso escolheu Moisés, outro patriarca do Velho Testamento e também descendente de Abraão.

Moisés era hebreu. Vinha da tribo de Levi, filho de Jacó. Na época de seu nascimento, os egípcios tratavam os hebreus como escravos e os obrigavam a trabalhos forçados. Mas Moisés, ainda bebê, foi salvo pela filha do faraó e criado na riqueza. Mesmo assim, ele nunca abandonou o seu povo. Um dia, indignado ao ver um egípcio ferir um hebreu, entrou na briga e acabou por matar o adversário. Com medo de ser punido, fugiu para Madiã, em pleno deserto.

Aí começa uma nova fase para Moisés. O deserto, como muitos sabem, é uma escola de autoconhecimento. Isolados de tudo e de todos, os homens ficam de frente com suas fraquezas e debilidades. Na imensa solidão de areia, acabam por descobrir que nada são, porque sem Deus nada somos.

Moisés passou por isso. Ele já era um homem maduro quando se deu um dos maiores prodígios de sua vida. Deus se manifestou em uma sarça que ardia em chamas e chamou pelo seu nome. Nesse instante, o Kairós aconteceu.

O exemplo de Moisés pode ser um aprendizado para que também tenhamos um Kairós em nossas vidas. Os defeitos que temos não impedem que Deus nos use como instrumentos de Seu amor. Moisés matou uma pessoa, porém mesmo assim Deus não desistiu dele. Para fugir da culpa e do pecado, Moisés se isolou no deserto, pensando estar esquecido de tudo e de todos, mas não: Deus permeava sua vida e tinha um Kairós reservado para ele.

Um tapete visto pelo lado avesso parece confuso, como se tivesse sido confeccionado com pontos desordenados e cores sobrepostas num emaranhado de fios. Mas quando o viramos e o olhamos pelo lado certo, que maravilha! Assim é nossa vida. Em certos momentos, tudo pode parecer feio, difícil, inatingível, mas quando o Kairós acontece, passamos a entender o propósito Divino. As dificuldades são apenas os meios pelos quais Deus nos conduz para que tenhamos um encontro verdadeiro e pessoal com Ele.

Você já usou óculos escuros? Com eles, vemos tudo mais turvo e sem graça. Quando os retiramos, vemos as coisas como são, mais leves e coloridas. O Senhor convida você a retirar os óculos escuros para enxergar as situações de sua vida com o olhar Dele. Você perceberá coisas que nunca imaginou.

Mas ainda há outro importante aprendizado que podemos tirar do exemplo de Moisés. Ele viveu o resto de sua vida totalmente entregue às mãos de Deus e no tempo de Deus.

Este é o verdadeiro Kairós: viver nossa vida como o Pai Eterno quer, contando em nosso dia a dia com o poder da graça Divina.

Que possamos ser pessoas serenas como Moisés, que aprendeu a obedecer à voz de Deus.

OREMOS

Senhor, como é bom saber que Tu me amas como
sou. Meus pecados não me afastam de Ti. Ao
contrário, agora sei que vens em busca de
pecadores para resgatá-los da escuridão.
Quero que tudo aconteça no Teu tempo, no Teu
Kairós.
Estou cansado de fazer as coisas no precário
tempo humano e esperar por graças imediatas.
Mostra-me o Teu caminho e ensina-me a
aguardar por Tua hora.
Que assim como o Kairós aconteceu na vida de
Moisés, possa eu ser tocado para viver segundo
a palavra do Senhor.
Amém.

4

Ana, mãe de Samuel

2 *Tinha ele duas mulheres, uma chamada Ana e outra Fenena. Esta última tinha filhos; Ana, porém, não os tinha.* **3** *Cada ano subia esse homem de sua cidade para adorar o Senhor dos exércitos e oferecer-lhe um sacrifício em Silo, onde se encontravam os dois filhos de Heli, Hofni e Fineias, sacerdotes do Senhor.* **4** *Cada vez que Elcana oferecia um sacrifício, dava porções à sua mulher Fenena, bem como aos filhos e filhas que ela teve;* **5** *a Ana, porém, dava uma porção dupla, porque a amava, embora o Senhor a tivesse tornado estéril.* **6** *Sua rival afligia-a duramente, provocando-a a murmurar contra o Senhor que a tinha feito estéril.* **7** *Isso se repetia cada ano quando ela subia à casa do Senhor; Fenena continuava provocando-a. Então, Ana punha-se a chorar e não comia.* **8** *Seu marido dizia-lhe: "Ana, por que choras? Por que não comes? Por que estás triste? Não valho eu para ti como dez filhos?".* **9** *(Desta vez) Ana levantou-se, depois de ter comido e bebido em Silo. Ora, o sacerdote Heli estava sentado numa cadeira à entrada do Templo do Senhor.* **10** *Ana, profundamente amargurada, orou ao Senhor e chorou copiosamente.* **11** *E fez um voto, dizendo: "Senhor dos exércitos, se Vos dignardes olhar para a aflição de Vossa serva e Vos lembrardes de mim; se não Vos* esquecerdes de Vossa escrava e lhe derdes um filho varão, eu o consagrarei ao Senhor durante todos os dias de sua vida e a navalha não passará pela sua cabeça". **12** Prolongando ela sua oração diante do Senhor, Heli observava o movimento dos seus lábios. **13** Ana, porém, falava no seu coração e apenas se moviam os seus lábios, sem se lhe ouvir a voz. **14** Heli, julgando-a ébria, falou-lhe: "Até quando estarás tu embriagada? Vai-te e deixa passar a tua bebedeira". **15** "Não é assim, meu Senhor – respondeu ela –, eu sou uma mulher aflita: não bebi nem vinho, nem álcool, mas derramo a minha alma na presença do Senhor. **16** Não tomes a tua escrava por uma pessoa frívola, porque é a grandeza de minha dor e de minha aflição que me fez falar até agora." **17** Heli respondeu: "Vai em paz e o Deus de Israel te conceda o que Lhe pedes". **(1Sm 1,2-17)**

26 Ana disse-lhe: "Ouve, meu Senhor, por Tua vida, eu sou aquela mulher que esteve aqui em Tua presença orando ao Senhor. **27** Eis aqui o menino por quem orei e o Senhor ouviu o meu pedido. **28** Portanto, eu também o dou ao Senhor: ele será consagrado ao Senhor para todos os dias de sua vida". E prostraram-se naquele lugar diante do Senhor. **(1Sm 1,26-28)**

20 Heli abençoava Elcana e sua mulher: "Conceda-te o Senhor filhos desta mulher em recompensa do dom que ela lhe faz!". E voltavam para a sua casa. **21** O Senhor visitou Ana e ela concebeu, dando à luz três filhos e duas filhas. E o menino Samuel crescia na companhia do Senhor. **(1Sm 2,20-21)**

Quando leio essas passagens, vejo como Deus tem hora para tudo. Nada é sem propósito para Ele, até o que parece estar demorando para nós faz parte dos planos de Deus e sempre tem como objetivo o nosso bem.

Costumo comparar o nosso aprimoramento pessoal com a formação da pérola. E como a pérola se forma? Ela é o resultado de uma reação natural da ostra contra invasores externos. Em geral, são parasitas que procuram se reproduzir no interior da concha. Ao defender-se dos intrusos, ela os ataca com uma substância chamada nácar ou madrepérola. Depositada sobre o invasor, essa substância cristaliza-se rapidamente, isolando o perigo e formando uma pequena bola rígida: a pérola!

Veja que grande ensinamento! Para que pérolas preciosas se formem, torna-se necessário que algo ruim aconteça. A ostra luta contra os parasitas e produz algo valioso. Assim é nossa vida. Quando temos problemas, também somos obrigados a lutar para resolvê-los, muitas vezes retirando forças de onde não temos, o que nos obriga a ser fortes. Esses momentos errados de nossa vida são exatamente os momentos certos para nos entregarmos a Deus e assim nos fortalecer ainda mais.

No Novo Testamento, São Pedro nos alerta em sua Segunda Epístola: "O Senhor não retarda o cumprimento de Sua promessa, como alguns pensam, mas usa da paciência para convosco. Não quer que alguém pereça; ao contrário, quer que todos se arrependam" **(2Pd 3,9).**

Quando publiquei *Ágape*, ouvi vários testemunhos de mulheres que não podiam engravidar, mas que, depois de ler o livro e rezarem com fé, receberam o Kairós de Deus. Depois de tantos anos de frustração e ansiedade, conseguiram realizar, no tempo certo do Senhor, o tão desejado sonho de ser mãe.

Podemos aprender com Ana, mãe de Samuel. Jamais devemos desistir de nossos sonhos. Sempre que abrirmos o nosso coração sinceramente diante de Deus, seremos ouvidos, porque Ele quer o nosso bem.

Saiba que as provações servem para nos fortalecer. Não se queixe tanto, não duvide do amor Divino por você. Aceite esse amor, que é incondicional, e espere. Deus sabe a hora certa para tudo.

OREMOS

Jesus, quero ter a sinceridade de Ana, mãe de
   Samuel. Quero abrir meu coração e entregar
   a Ti toda a minha vida: meus defeitos, minhas
   qualidades, meus segredos, porque sei que o
   Senhor é meu melhor amigo.
Não quero fingir o que não sou para Ti, porque sei
   que me amas assim como sou.
Toma posse de toda a minha vida. A partir de
   hoje, estou em Tuas mãos. Faz de mim o Teu
   instrumento.
Meus sonhos são Teus sonhos e meus caminhos
   serão os Teus caminhos. Sei que o Kairós de
   Deus acontecerá na minha vida de acordo com
   Tua santa vontade.
Jesus, eu confio em Ti, hoje e sempre.
Amém.

5

Jó

6 *Um dia em que os filhos de Deus se apresentaram diante do Senhor, veio também Satanás entre eles.* **7** *O Senhor disse-lhe: "De onde vens tu?". "Andei dando volta pelo mundo – disse Satanás – e passeando por ele".* **8** *O Senhor disse-lhe: "Notaste o meu servo Jó? Não há ninguém igual a ele na terra. É um homem íntegro e reto, temente a Deus e se mantém longe do mal".* **9** *Mas o Satanás respondeu ao Senhor: "É a troco de nada que Jó teme a Deus?* **10** *Não cercaste, qual uma muralha, a sua pessoa, a sua casa e todos os seus bens? Abençoaste tudo quanto ele fez e seus rebanhos cobriram toda a região.* **11** *Mas estende a tua mão e toca em tudo o que ele possui. Juro-te que te amaldiçoará na tua face".* **12** *"Pois bem!" – respondeu o Senhor. "Tudo o que ele possui está em teu poder. Mas não estendas a tua mão contra a sua pessoa." E o Satanás saiu da presença do Senhor.* **(Jó 1,6-12)**

20 *Jó então se levantou. Rasgou seu manto e rapou a cabeça. Depois, caindo prostrado por terra,* **21** *disse: "Nu saí do ventre de minha mãe, nu voltarei. O Senhor deu, o Senhor tirou: bendito seja o nome do Senhor!".* **22** *Em tudo isso, Jó não cometeu pecado algum, nem proferiu contra Deus blasfêmia alguma.* **(Jó 1,20-22)**

10 *Enquanto Jó rezava por seus amigos, o Senhor o restabeleceu de novo em seu primeiro estado e lhe tornou em dobro tudo quanto tinha possuído. (...)* **16** *Depois disso, Jó viveu ainda cento e quarenta anos e conheceu até a quarta geração dos filhos de seus filhos.* **17** *Depois, velho e cheio de dias, morreu.*

(Jó 42,10. 16-17)

As palavras do Livro de Jó nos mostram que não lutamos contra as forças do homem, e sim contra as forças do mal, que querem nos derrotar e nos destruir.

Como São Paulo nos ensina:

"**10** Finalmente, irmãos, fortalecei-vos no Senhor, pelo Seu soberano poder. **11** Revesti-vos da armadura de Deus, para que possais resistir às ciladas do demônio. **12** Pois não é contra homens de carne e sangue que temos de lutar, mas contra os principados e potestades, contra os príncipes deste mundo tenebroso, contra as forças espirituais do mal (espalhadas) nos ares. **13** Tomai, portanto, a armadura de Deus, para que possais resistir nos dias maus e manter-vos inabaláveis no cumprimento do vosso dever. **14** Ficai alerta, à cintura cingidos com a verdade, o corpo vestido com a couraça da justiça, **15** e os pés calçados de prontidão para anunciar o Evangelho da paz. **16** Sobretudo, embraçai o escudo da fé, com que possais apagar todos os dardos inflamados do Maligno. **17** Tomai, enfim, o capacete da salvação e a espada do Espírito, isto é, a palavra de Deus. **18** Intensificai as vossas invocações e súplicas. Orai em toda circunstância, pelo Espírito, no qual perseverai em intensa vigília de súplica por todos os cristãos." **(Ef 6,10-18)**

Essa é uma das passagens da Bíblia que leio todos os dias. E, em minhas leituras, costumo recordar de uma mulher abençoada, Laura Mendes da Silva, a nossa amada e saudosa Tia Laura, grande líder da Renovação Carismática Católica (RCC). Como fervorosa pregadora da Palavra do Senhor, Tia Laura ensinava que devíamos rezar pedindo a proteção Divina para nossa vida e, assim, cingir-nos com a armadura de Deus.

Eu também sempre peço a bênção do Pai, em tudo o que penso ou falo. Deus é o meu principal assunto. Ele é quem destrói as forças do mal. Aquele que traz o Senhor no coração nada tem a temer.

Jó sofreu os mais duros flagelos – perdeu os filhos, a casa, os animais e seu corpo se cobriu de chagas. Mas, como podemos perceber no segundo trecho da Bíblia que destaquei aqui, não foi Deus quem enviou o mal. Foi Satanás, o maior inimigo da obra Divina. Jó não sabia disso e, mesmo assim, não blasfemou em momento algum. Temos muito que aprender com a fidelidade de Jó.

Quantas vezes passamos por problemas de saúde, por dificuldades financeiras – até mesmo por adversidades menores –, e nossa primeira reação é blasfemar contra Deus. Muitos até, infelizmente, perdem a fé ou mudam de religião.

Não, amados. Nessa hora é que precisamos ser firmes como Jó e crer que tudo tem a hora de Deus. Nas fases difíceis da nossa vida é que devemos realmente acreditar no tempo Kairós.

Não se iluda, a fé vem com o sofrimento, e o próprio Jesus não nos enganou a respeito disso. Ele nos disse: "Se alguém quiser vir comigo, renuncie-se a si mesmo, tome sua cruz e siga-me" **(Mt 16,24)**.

Certamente passaremos por provações, mas isso não pode ser motivo de revolta, e sim de perseverança na fé. Só desse modo nos tornaremos pessoas melhores para os outros e para Deus.

Prepare-se porque o Senhor quer fazer um Kairós em sua vida. Primeiro, abra seus olhos e entenda que as lutas não são contra irmãos, e sim contra o mal que existe e quer nos derrotar. Segundo, não blasfeme contra Deus. Seja fiel a Ele, mesmo diante das provações. No final, assim como Deus fez com Jó, a abundância virá.

Permaneça firme em meio às provações e aguarde o Kairós que mudará a sua vida.

Avante, você irá vencer!

OREMOS

Deus, neste momento de fé, peço a proteção de Tua
armadura para que eu possa permanecer firme
contra Satanás e todas as suas hostes e, em nome
e no sangue do Senhor, poder vencê-las.

Eu me revisto com Tua verdade contra as
mentiras e os erros cometidos contra mim. Eu
tomo a Tua justiça para vencer todo o mal e as
acusações do inimigo.

Com o Evangelho, eu me revisto de paz para
anunciar o Senhor a todos que encontrar pelo
meu caminho.

Em Teu nome, eu me revisto da Tua fé e me
aproprio da Tua palavra para vencer todas as
ciladas do inimigo.

Obrigado, Jesus, por me revestir com a poderosa
armadura do cristão, que me torna blindado
contra todo o tipo de mal.

Amém.

6
Jonas

1 *A palavra do Senhor foi dirigida a Jonas, filho de Amati, nestes termos:* **2** *"Levanta-te, vai a Nínive, a grande cidade, e profere contra ela os teus oráculos, porque sua iniquidade chegou até a minha presença".* **3** *Jonas pôs-se a caminho, mas na direção de Társis, para fugir do Senhor. Desceu a Jope, onde encontrou um navio que partia para Társis; pagou a passagem e embarcou nele para ir com os demais passageiros para Társis, longe da face do Senhor.* **4** *O Senhor, porém, fez vir sobre o mar um vento impetuoso e levantou no mar uma tempestade tão grande que a embarcação ameaçava espedaçar-se.* **(Jn 1,1-4)**

    1 *O Senhor fez que ali se encontrasse um grande peixe para engolir Jonas, e este esteve três dias e três noites no ventre do peixe.* **2** *Do fundo das entranhas do peixe, Jonas fez esta prece ao Senhor, seu Deus:* **3** *Em minha aflição, invoquei o Senhor, e Ele ouviu-me. Do meio da morada dos mortos, clamei a Vós, e ouvistes minha voz.* **4** *Lançastes-me no abismo, no meio das águas e as ondas me envolviam. Todas as Vossas vagas e todas as Vossas ondas passavam sobre mim.* **5** *E eu já dizia: fui rejeitado de diante de Vossos olhos. Acaso me será dado ainda rever Vosso santo templo?!* **6** *As águas envolviam-me* *até a garganta, o abismo me cercava. As algas envolviam-me a cabeça.* **7** *Eu tinha descido até as raízes das montanhas, até a terra cujos ferrolhos eternos (se fecharam) sobre mim.* **8** *Quando desfalecia a minha vida, pensei no Senhor; minha oração chegou a Vós, no Vosso santo templo.* **9** *Os que servem a ídolos vãos abandonam a fonte das graças.* **10** *Eu, porém, oferecerei um sacrifício com cânticos de louvor, e cumprirei o voto que fiz. Do Senhor vem a salvação.* **11** *Então o Senhor ordenou ao peixe, e este vomitou Jonas na praia.* **(Jn 2,1-11)**

Quando leio o Livro de Jonas, me identifico com as palavras ali escritas. É um livro bem curto, de apenas quatro capítulos, mas que motiva profundas reflexões.

Jonas ouve a voz de Deus e, por teimosia, desobedece à vontade Divina, fugindo de navio para outra cidade. O Senhor provoca uma terrível tempestade, e Jonas revela aos demais viajantes que ele é a causa da tormenta. Os marinheiros atiram Jonas ao mar e ele é engolido por um peixe enorme. Passa três dias e três noites dentro da barriga do bicho. Tempo suficiente para se arrepender, pedir perdão e, depois disso, cumprir a vontade de Deus.

Vou falar da minha juventude para ilustrar um momento importante da minha vida: aquele em que Deus venceu em mim.

Eu estava mais interessado em me divertir e sair com os amigos, como costuma acontecer com todo mundo nessa fase. A religião não era o centro de minhas preocupações. Muitas vezes, voltava tarde para casa e encontrava minha mãe ajoelhada, rezando o terço. Ela não dizia nada, apenas fazia o sinal da cruz em agradecimento por ver o filho de volta, são e salvo. Hoje sei o quanto as orações de minha mãe foram importantes para mim. Pela força de sua fé, obedeci o chamado de Deus e encontrei o meu caminho. O Kairós Divino aconteceu poderosamente e direcionou a minha vida para sempre.

Por isso, digo: não desista de seu filho, de sua filha, de seu pai ou de seus entes queridos que estão confusos, sem saber qual o caminho certo a seguir. Faça as suas orações, reze o terço, peça à Virgem Maria, e você verá que essa pessoa voltará para junto do Senhor. Não no Khronos de nosso mundo imperfeito, e sim no Kairós que Deus reservou a ela.

Hoje, estamos acostumados com o micro-ondas, com o celular, com a internet. Tudo é muito rápido, porque vivemos em uma sociedade imediatista, e o tempo é sinônimo de dinheiro. Mas, para Deus, as coisas acontecem no tempo Dele, no tempo certo.

Não podemos ser pessoas superficiais. Precisamos mergulhar fundo na oração e estreitar nosso relacionamento com Deus. Aqueles que são superficiais não estão de fato enraizados no coração de Deus e, por isso, sucumbem. Mas quem tem raízes realmente profundas consegue sobreviver a todas as tempestades que fazem parte da vida humana. Sejamos pessoas enraizadas no amor de Deus e fiéis à vontade Divina.

Aqui aprendemos com Jonas que não vale a pena fugir do propósito que Deus reservou para a nossa vida. Deus quer o seu bem e a sua felicidade do mesmo modo que quer o bem e a felicidade de todos. Precisamos ter em mente que só podemos ser realmente felizes quando fazemos os outros felizes. Nossa felicidade está relacionada com a dos outros, porque somos pessoas feitas para servir, e isso une nossa vida à de outras pessoas.

Não somos uma ilha. Somos uma grande família, irmãos que dependem de irmãos. Por isso, vamos permitir que Deus permeie os nossos relacionamentos. Sejamos evangelizadores e instrumentos do Senhor para que o Kairós Divino aconteça também na vida de nossos amigos e familiares.

OREMOS

Jesus, perdoa-me as vezes que fugi à Tua vontade.
Perdoa meu egoísmo por querer as coisas do
meu jeito e não seguir o Teu chamado.
Transforma a minha vida segundo a Tua vontade
e no Teu Kairós.
Não quero viver de acordo com o Khronos do
mundo. Ensina-me a esperar por aquilo que Tu
planejaste para mim.
Eu me entrego completamente em Tuas mãos,
Jesus.
Amém.

7
Isaías

1 *No ano da morte do rei Ozias, eu vi o Senhor sentado num trono muito elevado; as franjas de Seu manto enchiam o templo.* **2** *Os serafins se mantinham junto Dele. Cada um deles tinha seis asas; com um par (de asas) velavam a face; com outro cobriam os pés; e, com o terceiro, voavam.* **3** *Suas vozes se revezavam e diziam: "Santo, santo, santo é o Senhor Deus do universo! A terra inteira proclama a Sua glória!".* **4** *A este brado as portas estremeceram em seus gonzos e a casa encheu-se de fumo.* **5** *"Ai de mim" – gritava eu. "Estou perdido porque sou um homem de lábios impuros, e habito com um povo (também) de lábios impuros e, entretanto, meus olhos viram o rei, o Senhor dos exércitos!"* **6** *Porém, um dos serafins voou em minha direção; trazia na mão uma brasa viva, que tinha tomado do altar com uma tenaz.* **7** *Aplicou-a na minha boca e disse: "Tendo esta brasa tocado teus lábios, teu pecado foi tirado, e tua falta, apagada".* **8** *Ouvi então a voz do Senhor que dizia: "Quem enviarei eu? E quem irá por nós?". "Eis-me aqui" – disse eu –, "enviai-me."* **9** *"Vai, pois, dizer a esse povo" – disse Ele: "Escutai, sem chegar a compreender, olhai, sem chegar a ver."* **(Is 6,1-9)**

Isaías teve o seu Kairós no momento em que o serafim do Senhor o tocou com a brasa do altar e retirou o pecado de seus lábios. Foi uma transformação tão rápida quanto profunda, e ele nunca mais foi o mesmo. Depois de purificado, Isaías se tornou profeta de seu povo e passou a pregar a vinda do Salvador.

Escolhi essa passagem para comentar aqui porque podemos aprender várias lições com o Kairós de Isaías.

A primeira delas está na importância das boas palavras. Vivemos em um mundo imperfeito, muito diferente do reino Divino. *Estamos* no mundo, mas não *somos* deste mundo. Somos do reino de Deus e para lá voltaremos. Infelizmente, muitos não se preocupam em semear os campos do Senhor e vivem em desacordo com a Sua vontade. Quando plantamos boas palavras, elas dão flores e frutos. As más palavras fazem brotar apenas dor, ódio e solidão.

Quantas palavras pesadas e impregnadas pelo mal fazem parte do nosso falar diário. Elas saem de nossa boca na forma de palavrões, mentiras, maldições, pragas, fofocas e de outras maneiras que nos contaminam e nos condenam ao mesmo tempo. Esteja certo de que nada disso contribui para que nossas vidas melhorem e sigam em frente, vitoriosas. Tudo o que dizemos é uma manifestação do que levamos no coração. Se o coração está impuro, como seremos plenamente felizes?

Mas tão importante quanto zelar pelas palavras que usamos para nos comunicar com quem está a nossa volta é ficar atento ao que dizemos para nós mesmos.

Durante minha trajetória como cristão e como padre, aprendi o poder que as palavras têm em nossas vidas. Depressão, ansiedade, medo e sentimento de derrota muitas vezes vêm do que pensamos e dizemos para nós mesmos em nosso dia a dia. Para mudar isso, devemos pronunciar palavras abençoadas, que ressoem dentro de nós trazendo o bem e despertando nossas melhores emoções. Não se trata de sugestão ou pensamento positivo, mas apenas da constatação de que as palavras têm poder. Elas são capazes de nos aproximar ou de nos afastar de Deus. Podem nos levar ao Kairós ou não. A escolha é nossa.

Por isso, a partir de hoje, mude sua maneira de pensar e tenha mais cuidado com o que diz a você mesmo. Leia em voz alta os versículos da Bíblia. Reze ouvindo o som de cada palavra da oração. Mantenha as boas palavras em seus lábios o maior tempo possível.

Há uma segunda lição que podemos aprender com Isaías: Deus o chamou para uma vocação. Todos nós nascemos com uma aptidão. Uns são professores, outros médicos; uns são padeiros, outros marceneiros; uns são pedreiros, outros caminhoneiros. Seja qual for a sua profissão, Deus quer usar sua vocação para que você seja um instrumento de fé na vida dos outros. Temos que fazer tudo com dedicação para irradiar o amor Divino, o Amor Ágape, em tudo o que fizermos. Para isso acontecer verdadeiramente, Deus precisa tocar você. Permita que o Pai Eterno faça um Kairós em sua vida.

Você pode estar se perguntando: mas, afinal, o que é esse Kairós de que o padre tanto fala neste livro?

Quando me refiro a Kairós, você deve entender como o tempo de Deus, o tempo da graça Divina. É com ele que o Senhor quer tocar você poderosamente, como fez com Isaías. E quando Deus toca uma pessoa, Ele transforma seus defeitos, seus hábitos, sua vida por inteiro. Você é mergulhado no coração de Deus, e o Espírito Santo se instala profundamente em todos os seus atos e pensamentos. Aos poucos, sua conversão acontece. Com a aproximação poderosa de Deus, suas orações ganham vida, você sente cada vez mais vontade de estar na presença Divina. Seu trabalho, seja qual for, fica leve, pois todas as provações são vencidas quando se crê que Deus está acima de tudo.

Muitas pessoas tiveram o seu Kairós quando leram *Ágape*. Gosto de lembrar o testemunho de uma mulher que, antes de ler o livro, era alcoólatra. Ela me procurou para testemunhar que foi tocada durante a leitura ao perceber o quanto Deus a amava. Depois desse dia, nunca mais colocou álcool na boca. Assim foi o Kairós de Deus na vida dessa amada irmã.

Esse encontro com a graça Divina acontece de formas diferentes porque Deus pode se manifestar de muitas maneiras. Pode ser por meio de uma missa, de uma canção, de um livro, de um trecho bíblico, de uma palestra, de uma frase... A grande verdade é que, quando Deus quer tocar alguém, Ele toca.

Um exemplo célebre é o de Edith Stein, uma filósofa judia que hoje é santa da Igreja Católica. Ao ler *O livro da vida*, de Santa Teresa D'Ávila, ela teve um encontro com Jesus e se converteu ao catolicismo, tornando-se Carmelita Descalça. O Kairós de Edith Stein se deu por meio de um livro.

Outros testemunhos que ouço vêm de pessoas que são tocadas por palavras ditas na homilia ou durante a oração. Nesses instantes, Deus as toca por meio da unção do Espírito Santo, e elas são profundamente transformadas.

Eu não sei como Deus irá tocar você e fazer o Kairós em sua vida, mas tenha certeza de que Ele o fará. Espere, confie. Quanto maior for a sua fé, mais forte o amor de Deus ocupará o seu coração.

OREMOS

Lava meus lábios, Senhor, e livra-me de todas as
impurezas e de todas as mentiras que eu possa
proferir. Quero ser uma nova pessoa segundo o
Teu coração.

Também Te consagro minha vocação. Usa-me,
Senhor, para os Teus propósitos. Quero me
tornar instrumento de bênçãos para meus
irmãos. Quero ser evangelizador da Tua palavra.

Faz um Kairós em minha vida, Senhor, eu
Te peço.

Amém.

8
Maria, Mãe de Jesus

1 *Três dias depois, celebravam-se bodas em Caná da Galileia, e achava-se ali a mãe de Jesus.* 2 *Também foram convidados Jesus e os Seus discípulos.* 3 *Como viesse a faltar vinho, a mãe de Jesus disse-Lhe: "Eles já não têm vinho".* 4 *Respondeu-lhe Jesus: "Mulher, isso compete a nós? Minha hora ainda não chegou".* 5 *Disse, então, Sua mãe aos serventes: "Fazei o que Ele vos disser".* 6 *Ora, achavam-se ali seis talhas de pedra para as purificações dos judeus, que continham cada qual duas ou três medidas.* 7 *Jesus ordena-lhes: "Enchei as talhas de água". Eles encheram-nas até em cima.* 8 *"Tirai agora" – disse-lhes Jesus – "e levai ao chefe dos serventes." E levaram.* 9 *Logo que o chefe dos serventes provou da água tornada vinho, não sabendo de onde era (se bem que o soubessem os serventes, pois tinham tirado a água), chamou o noivo* 10 *e disse-lhe: "É costume servir primeiro o vinho bom e, depois, quando os convidados já estão quase embriagados, servir o menos bom. Mas tu guardaste o vinho melhor até agora".* 11 *Esse foi o primeiro milagre de Jesus; realizou-o em Caná da Galileia. Manifestou a Sua glória, e os Seus discípulos creram nele.* **(Jo 2,1-11)**

Esta passagem foi uma das mais tocantes em *Ágape* e creio que, analisada aqui de outro ponto de vista, ajudará muitas pessoas a comprender melhor a diferença entre Khronos e Kairós.

Na época de Jesus, as festas de casamento duravam sete dias. Era uma celebração tão longa que toda a cidade se reunia para confraternizar. Quando Maria percebeu que o vinho não seria suficiente para todos, compadeceu-se da família e intercedeu por aquelas pessoas junto a Cristo. Só um milagre poderia salvar a situação. Ela, como mãe de Jesus, sabia muito bem quem seria capaz de produzir um milagre ali.

Jesus era somente um convidado, não tinha nenhuma responsabilidade com o que estava acontecendo. Disse então à mãe: "Mulher, isso compete a nós? Minha hora ainda não chegou". No Khronos do mundo ainda não era a hora de Jesus começar a fazer milagres, mas no Kairós de Deus sim. E aqui temos um exemplo da influência da Virgem Maria. Sua intercessão é tão poderosa que ela conseguiu mudar o tempo do mundo para que o Kairós Divino acontecesse naquela festa e a água se transformasse em vinho.

A Virgem Maria é a bondade, a proteção, o perdão e a maior intercessora que temos junto a Jesus. Quando você estiver numa grande dificuldade, não tenha receio: peça à Mãe que o Filho atende. Por isso mesmo ela é chamada de advogada nossa.

Reze a Ave-Maria, a mais doce das orações. Ela começa dizendo: "Bendita sois vós, entre as mulheres", que foi o que Isabel, mãe de João Batista, falou quando Maria foi visitá-la já grávida do Menino Jesus. E termina com o pedido de uma intervenção: "Rogai por nós, pecadores". Não é reconfortante saber que Mãe Maria está sempre conosco, de braços abertos para nos ajudar?

Em nossas vidas também é assim. Desde pequenos, recorremos a nossas mães para tudo. Acredito que todas as mães do mundo tenham essa capacidade de intercessão. Portanto, devemos recorrer à Maria, que é a mãe de todos nós. Ela é o melhor caminho para nos encontrarmos com Jesus. Aproxime-se de Maria. Você verá que seu amor por Jesus aumentará e sua ligação com o Espírito Santo triplicará, porque Nossa Senhora é cheia de graça.

Neste mundo em que vivemos, precisamos aprender com Maria a enfrentar e a superar as dificuldades que nos assolam.

Eu amo Nossa Senhora. Foi por intercessão dela que me tornei o sacerdote que sou. Por essa razão, levantei em louvor a ela, com o auxílio de milhares de fiéis, uma nova catedral. Em homenagem à Virgem Maria, a nova casa do Senhor foi batizada de Santuário Mãe de Deus. Sei que as gerações do século 21 serão de Maria. Quem permanecer firme em sua fé terá a intercessão dela para chegar a Jesus.

O apóstolo Lucas registrou no Novo Testamento as palavras de Maria: "**46** Minha alma glorifica ao Senhor, **47** meu espírito exulta de alegria em Deus, meu Salvador, **48** porque olhou para Sua pobre serva. Por isso, desde agora, me proclamarão bem-aventurada todas as gerações, **49** porque realizou em mim maravilhas Aquele que é poderoso e cujo nome é Santo" **(Lc 1,46-49)**.

Maria conhece o poder de Deus e quer que todos sejam abençoados por Ele. Glorifique Maria. Ela é a mãe da misericórdia e será sua proteção nesta vida.

OREMOS

Nossa Senhora, interpõe-te entre nós e o Senhor.
Faz o teu querer acontecer em nós, pois
sabemos que o teu desejo é a vontade de Deus.
Virgem Maria, livra-nos de todo o mal deste
mundo. Protege nossas famílias e permite que o
Kairós de Deus aconteça em nós.
Que possamos aprender a importância de rezar o
terço diariamente e de te invocar todos os dias,
Virgem Santíssima.
Amém.

9

Os dez leprosos

11 *Sempre em caminho para Jerusalém, Jesus passava pelos confins da Samaria e da Galileia.* **12** *Ao entrar numa aldeia, vieram-Lhe ao encontro dez leprosos, que pararam ao longe e elevaram a voz, clamando:* **13** *"Jesus, Mestre, tem compaixão de nós!".* **14** *Jesus viu-os e disse-lhes: "Ide, mostrai-vos ao sacerdote". E, quando eles iam andando, ficaram curados.* **15** *Um deles, vendo-se curado, voltou, glorificando a Deus em alta voz.* **16** *Prostrou-se aos pés de Jesus e Lhe agradecia. E era um samaritano.* **17** *Jesus lhe disse: "Não ficaram curados todos os dez? Onde estão os outros nove?* **18** *Não se achou senão este estrangeiro que voltasse para agradecer a Deus?!".* **19** *E acrescentou: "Levanta-te e vai, tua fé te salvou".* **(Lc 17,11-19)**

Ao lermos essa passagem, percebemos que Jesus sente compaixão por todos os homens, não importa quais sejam as suas dores. Mas notamos também que a humanidade não mudou muito desde o tempo de Jesus. Quantas pessoas ainda hoje são incapazes de agradecer, quantos se esquecem de dizer um simples obrigado ao receber um favor, uma ajuda ou uma gentileza.

Dos dez leprosos que Jesus curou, apenas um voltou para agradecer. E quando Jesus diz para esse homem seguir seu caminho porque a fé o havia curado é que acontece o verdadeiro Kairós. Mais do que a cura física, Jesus salva aquele homem por inteiro. O samaritano tem o seu instante Kairós e segue com fé em seu coração.

Mas não são todos os homens que se unem a Jesus pela confiança absoluta. Lembro-me de um exemplo que presenciei. Este caso nos mostra que, muitas vezes, as pessoas não permitem que o Kairós aconteça em suas vidas.

Conheci uma jovem que tinha uma doença incurável na pele e já estava desenganada pelos médicos. Um dia, uma amiga a levou ao Santuário do Terço Bizantino. A jovem pediu sua cura a Deus e recebeu a graça. Até os médicos admitiram o milagre porque os exames já não mostravam nenhum sinal da doença. Entretanto, essa jovem jamais voltou à igreja para agradecer a Deus. Continuou levando sua vida longe do amor Divino, como fizeram os nove homens que não retornaram para louvar Jesus. Como eles, a jovem teve a cura, mas não o Kairós. Recebeu a graça de um milagre, mas não vivenciou o momento de revelação da fé.

Claro que nem todos agem assim. Lembro aqui do testemunho de nossa amada irmã Dona Neusa, relato que foi muito comentado e glorificado entre os fiéis do Terço Bizantino. Neusa foi à médica para tratar de um nódulo no seio. Depois de se submeter a uma série de exames, chegou-se à conclusão de que a única solução era a cirurgia. Desde então, fiel ao Amor Ágape de Deus, Dona Neusa rezou com mais fervor e fé, confiante na bondade Divina. Às vésperas da cirurgia, a médica solicitou um último exame. Para espanto das duas, o nódulo havia desaparecido. Médica e paciente louvaram a Deus porque sabiam que a graça tinha vindo Dele. Com a fé fortalecida, Dona Neusa teve o seu Kairós e, em agradecimento ao Senhor, perseverou na Igreja e fez de seu testemunho um exemplo concreto da presença do Pai.

Quero ressaltar aqui a importância e a força dos testemunhos. Assim como a oração é o caminho para nos aproximarmos de Deus, o testemunho é o meio de mantermos o nosso contato com Ele e seguirmos como instrumento do propósito Divino.

Todos aqueles que obtêm o Kairós devem testemunhar; precisam transformar a sua experiência sagrada em exemplo de fé. Um testemunho é tão poderoso que supera a força das palavras. As palavras movem montanhas, mudam as pessoas. Os testemunhos arrastam, calam mais fundo.

Quem nunca foi tocado por um testemunho da graça de Deus? Se você recebeu uma graça, se um Kairós aconteceu em sua vida, testemunhe, entregue-se à dádiva de se reconhecer como um instrumento do Pai Eterno e Seu amor.

O Kairós de Deus não nos leva apenas à cura, e sim a um estado muito mais elevado que é a experiência do amor Divino, o Amor Ágape, que transforma o Khronos em Kairós. Nada, nada mesmo, é impossível para Deus. Se eu fosse escrever um livro de testemunhos, escreveria uma obra interminável porque Deus tem sempre uma solução para cada um de nós.

Sempre que você pedir com fé e esperar pela hora de Deus, Ele atenderá. E sempre que você agradecer com sinceridade pelo que recebeu, sentirá que Deus habita no seu coração. Essa é a lição que podemos tirar dessa passagem do Novo Testamento para alcançar o Kairós em nossas vidas.

OREMOS

Jesus, peço a graça da transformação, um
verdadeiro Kairós em minha vida. Sei que posso
recorrer a Ti porque o Senhor me escuta.

Mas quero ir além e sentir a felicidade de um
coração agradecido. Quero ser uma pessoa
grata, que reconhece o quanto Tu queres o
nosso bem.

Perdão pelas vezes que me esqueci de agradecer
à Tua infinita bondade e fiquei preso ao meu
egoísmo.

Alivia-me com Teu perdão, Jesus!

Amém.

10
A mulher doente

25 *Ora, havia ali uma mulher que já por doze anos padecia de um fluxo de sangue.* **26** *Sofrera muito nas mãos de vários médicos, gastando tudo o que possuía, sem achar nenhum alívio; pelo contrário, piorava cada vez mais.* **27** *Tendo ela ouvido falar de Jesus, veio por detrás, entre a multidão, e tocou-Lhe no manto.* **28** *Dizia ela consigo: "Se tocar, ainda que seja na orla do Seu manto, estarei curada".* **29** *Ora, no mesmo instante se lhe estancou a fonte de sangue, e ela teve a sensação de estar curada.* **30** *Jesus percebeu imediatamente que saíra Dele uma força e, voltando-se para o povo, perguntou: "Quem tocou minhas vestes?".* **31** *Responderam-lhe os seus discípulos: "Vês que a multidão Te comprime e perguntas: Quem me tocou?".* **32** *E Ele olhava em derredor para ver quem o fizera.* **33** *Ora, a mulher, atemorizada e trêmula, sabendo o que nela se tinha passado, veio lançar-se a seus pés e contou-Lhe toda a verdade.* **34** *Mas Ele lhe disse: "Filha, a tua fé te salvou. Vai em paz e sê curada do teu mal".* **(Mc 5,25-34)**

Havia muita desigualdade entre homens e mulheres nos tempos de Jesus. A personagem que aparece neste trecho que escolhi, do Evangelho de São Marcos, certamente era vítima de muita discriminação. Os judeus não tocavam em nada que fosse impuro, e as mulheres, em seu ciclo menstrual, eram consideradas impuras.

Imagine o tormento dessa mulher, que havia doze anos sofria de uma hemorragia contínua! Mas, mesmo marginalizada pela sociedade da época, ela foi salva porque acreditava no Senhor. Movida pela fé, essa mulher debilitada pela doença teve a ousadia de enfrentar a multidão e tocar no manto de Jesus. Foi quando aconteceu o verdadeiro Kairós, o momento da graça de Deus em sua vida.

Aqui vemos também o poder do Filho de Deus. Ele próprio percebeu que uma força saía de Seu corpo enquanto a mulher imediatamente se curava. Quanta graça! Quantas bênçãos podemos receber quando acreditamos no poder de Jesus!

Ao se sentir curada, a mulher, caso quisesse, poderia facilmente desaparecer no meio da multidão. Tudo foi tão rápido que nem os discípulos de Jesus viram quando ela tocou o manto sagrado. Mas a mulher não teve receio de assumir a autoria de seu ato e, em agradecimento, lançou-se aos pés do Senhor. Jesus jamais rejeita aqueles que se entregam a Ele. Pronunciou apenas: "Filha, a tua fé te salvou. Vai em paz e sê curada do teu mal". A partir desse instante, ela não se curou só fisicamente, mas também emocional e espiritualmente. O poder do Kairós é sempre transformador, ele regenera a pessoa para uma nova vida.

Hoje convido você a imitar essa mulher. Se lance aos pés de Jesus, mesmo com medo, mesmo com dúvidas, mesmo sob o peso de suas dores. Conte a verdade sobre você, a sua verdade mais secreta. Ele não irá condenar suas falhas nem suas fraquezas e pecados. A bondade de Jesus é infinita, assim como Sua misericórdia. Chegou a hora de você ter um encontro pessoal com o Senhor e deixar o Kairós acontecer em sua vida.

Jesus é o nosso amigo verdadeiro, Ele jamais nos abandona nos momentos difíceis. Cura nossos males, ameniza nossas dores, nos revigora mesmo quando a doença enfraquece nossas esperanças. Escuta nossas preces e a Ele podemos contar tudo o que há em nosso coração e em nossa mente.

Enquanto não entendermos que devemos ser transparentes diante de Deus, nossa vida será pesada e triste. Quanto mais sincero você for com o Pai, mais você será leve e feliz.

Deixe com Jesus a carga de seus pecados e do mal que aflige seu corpo. No Evangelho, Ele fala: " 28 Vinde a mim, vós todos que estais aflitos sob o fardo, e eu vos aliviarei. 29 Tomai meu jugo sobre vós e recebei minha doutrina, porque eu sou manso e humilde de coração e achareis o repouso para as vossas almas. **30** Porque meu jugo é suave e meu peso é leve" **(Mt 11,28-30)**.

Permita que Jesus encontre você, mesmo no meio do caos de suas dores, pecados e dificuldades. Não se esqueça de que Ele veio ao mundo para salvar os pecadores e os doentes. Por isso, não se deixe levar pelo pessimismo e muito menos pela ideia de que o seu caso não tem solução.

Entregue-se a Jesus. Deixe que Ele ponha fim aos seus sofrimentos. Confie em Seu amor infinito para que o Kairós de sua vida se realize.

OREMOS

Amado Jesus, hoje quero entregar todos os meus
malees e pecados em Tuas mãos. Toma todos os
fardos que carrego e alivia minha caminhada.
Eu pertenço a Ti, Senhor Jesus! Faz o que quiseres
com minha vida, porque confio em Ti.
Cura-me de minhas dores para que eu renasça em
Ti e por Ti.
Com humildade, eu Te suplico: faz um verdadeiro
Kairós em minha vida.
Amém.

11
Zaqueu

1 *Jesus entrou em Jericó e ia atravessando a cidade.* **2** *Havia aí um homem muito rico chamado Zaqueu, chefe dos recebedores de impostos.* **3** *Ele procurava ver quem era Jesus, mas não o conseguia por causa da multidão, porque era de baixa estatura.* **4** *Ele correu adiante, subiu a um sicômoro para O ver, quando Ele passasse por ali.* **5** *Chegando Jesus àquele lugar e levantando os olhos, viu-o e disse-lhe: "Zaqueu, desce depressa, porque é preciso que eu fique hoje em tua casa".* **6** *Ele desceu a toda a pressa e recebeu-O alegremente.* **7** *Vendo isso, todos murmuravam e diziam: "Ele vai hospedar-se em casa de um pecador...".* **8** *Zaqueu, entretanto, de pé diante do Senhor, disse-Lhe: "Senhor, vou dar a metade dos meus bens aos pobres e, se tiver defraudado alguém, restituirei o quádruplo".* **9** *Disse-lhe Jesus: "Hoje entrou a salvação nesta casa, porquanto também este é filho de Abraão.* **10** *Pois o Filho do Homem veio procurar e salvar o que estava perdido".* **(Lc 19,1-10)**

Gosto muito do último versículo desse trecho do Evangelho de São Lucas. Ele nos lembra de que a missão de Jesus, o Filho de Deus, é salvar aquele que está perdido. Todos nós somos pecadores. Todos nós temos uma parcela de perdição. Uns cometem faltas pequenas, outros, faltas graves, mas todos nós, sem exceção, somos pecadores. Nascemos com o pecado original, herança de Adão e Eva, que é apagado no Batismo, mas vamos cometendo outros pecados ao longo da vida. Nem sempre nos lembramos de que há uma única maneira de nos salvar de nossos pecados e essa salvação tem um nome: Jesus!

Em sua curta existência na Terra, o Filho de Deus modificou a mentalidade dos povos daquela época. De lá para cá, o mundo mudou, a humanidade evoluiu, mas, infelizmente, a maldade e o ódio não foram varridos do planeta. Apenas ganharam outras formas de manifestação. O egoísmo, a inveja, a mentira, o desamor, a corrupção e a violência estão diante de nossos olhos, corroendo e contaminando a vida de todos. Para nossa sorte, Jesus continua a ser o caminho da salvação. Ele quer mudar nossa mentalidade do mesmo modo que mudou a dos povos antigos durante Sua passagem pela Terra.

Jesus não rejeita os pecadores, Jesus os transforma. Quando o Senhor foi à casa de Zaqueu, este se sentiu acolhido e prometeu restituir ao povo tudo o que havia roubado. O Kairós de Zaqueu aconteceu com o acolhimento de Jesus.

Existe muita diferença entre compactuar com o pecado e acolher um pecador. Amparar um irmão é essencial, seja ele pecador ou não. Acolher o outro transforma tudo. Sempre digo aos meus voluntários do Santuário que a acolhida aos fiéis é o primeiro passo para que Jesus possa fazer a mudança na vida de quem bate à Sua porta.

Quem não gosta de chegar a um lugar desconhecido e ser acolhido com amor, com um sorriso e simpatia? Isso muda tudo, você se sente em casa. Do mesmo modo que as portas se abrem, você abre o seu coração. É quando Jesus pode fazer o Kairós acontecer em sua vida. Porque Ele sempre toca os corações abertos ao amor e à transformação.

Estou certo de que Jesus quer fazer um Kairós em sua vida, e mesmo sem conhecer você pessoalmente, posso afirmar isso. E sabe por quê? Porque eu posso não conhecer, mas, com certeza, Jesus conhece. Ele conhece suas fraquezas, suas faltas, seus arrependimentos, suas tristezas. Ele sabe até quais são os seus pecados de estimação, aqueles que sempre confessamos, mas não conseguimos deixar de cometer. Jesus sabe exatamente o que precisa ser mudado em sua vida e está pronto a acolher você. Ele só espera que você se permita ser ajudado. Faça isso, e o seu Kairós virá no tempo certo.

Há uma história que gosto de contar e que exemplifica muito bem o que acabo de afirmar. Um jovem convidou Jesus para entrar em sua casa. O Senhor aceitou o convite. Sentaram-se e se puseram a conversar, até que Jesus pediu para conhecer o restante da casa. Lembrando que havia muitas coisas impuras espalhadas pelos cômodos, o rapaz disse que preferia continuar conversando ali mesmo. Logo em seguida, alguém bateu à porta dos fundos. O rapaz foi ver quem era e deu de cara com o demônio. Fechou a porta depressa e voltou para junto de Jesus. A conversa continuou, até que o Senhor insistiu para conhecer o restante da casa. Mais uma vez, o rapaz inventou uma desculpa. Bateram à porta dos fundos e de novo o dono da casa deu de cara com o demônio. A situação se repetiu várias vezes, até que o rapaz não aguentou mais e resolveu falar a verdade: "Jesus, há coisas erradas em todos os cantos de minha casa, por isso não O levei para dentro. Mas agora o demônio quer entrar para ficar. Não deixe que isso aconteça, Senhor! Salve-me!". Jesus então disse: "Agora sim posso mudar sua vida!". Quando o demônio bateu à porta dos fundos, Jesus foi abrir. Assim que contemplou Jesus, o demônio se dissipou no ar e voltou para o lugar de onde veio.

Como você pode ver, Jesus precisa ter acesso a todo o seu ser, a todas as áreas de sua vida, para livrá-lo do peso dos pecados e fazer o Kairós acontecer.

Abra o seu coração e permita a entrada de Jesus. Deixe que Ele percorra todos os cantos de sua casa interna, mesmo os mais sombrios, mesmo os mais secretos. Confie em Jesus, permita que Ele se instale em seu coração e você verá que sua vida nunca mais será a mesma.

OREMOS

Jesus, eu, _____ (diga seu nome), me
consagro inteiramente em Tuas mãos. Hoje
assumo que o Senhor é meu Salvador e que eu
pertenço a Ti.

Muda minha vida, muda minha mentalidade,
afasta-me do pecado e leva-me para junto de
Tua luz infinita.

Eu quero ser filho da luz. Quero viver na verdade e
na pureza.

Amém.

12
Marta e Maria

38 *Estando Jesus em viagem, entrou numa aldeia, onde uma mulher, chamada Marta, O recebeu em sua casa.* **39** *Tinha ela uma irmã por nome Maria, que se assentou aos pés do Senhor para ouvi-Lo falar.* **40** *Marta, toda preocupada na lida da casa, veio a Jesus e disse: "Senhor, não Te importas que minha irmã me deixe só a servir? Dize-lhe que me ajude".* **41** *Respondeu-lhe o Senhor: "Marta, Marta, andas muito inquieta e te preocupas com muitas coisas;* **42** *no entanto, uma só coisa é necessária; Maria escolheu a boa parte, que lhe não será tirada".* **(Lc 10,38-42)**

Nessa passagem do Evangelho de São Lucas temos um belo exemplo que nos mostra a diferença entre o Khronos e o Kairós. As irmãs Marta e Maria moravam sob o mesmo teto na aldeia de Betânia, mas tinham modos muito diferentes de ser. Sempre concentrada no trabalho, Marta não quis interromper o que fazia para ouvir Jesus. Como vivia o tempo do mundo, para ela existia apenas o Khronos. Maria, ao contrário, largou o que estava fazendo e foi se sentar aos pés de Jesus para ouvir Suas santas palavras. Ela vivia o tempo da graça, estava em sintonia com o Kairós Divino.

Quando Marta reclama que a irmã devia ajudá-la na lida diária, o Senhor a repreende com carinho. Claro que Ele não é contra o trabalho e nem quer que sejamos preguiçosos. Jesus só quis deixar claro que, entre as coisas mais importantes de nossas vidas, a comunhão com Deus tem de ficar em primeiro lugar.

Nem sempre é fácil entendermos essas palavras de Jesus. O mundo moderno não pode parar, e todos estão cada vez mais preocupados em ganhar dinheiro. Até no domingo, dia criado para adorarmos a Deus, o comércio abre suas portas na tentativa de lucrar mais. Infelizmente, estamos deixando Deus em segundo plano. Precisamos acordar para a importância que o Senhor tem em nossas vidas e dar a Ele prioridade. Isso significa trazer Jesus em nossos corações. Ele é o Filho de Deus. Ele é tudo. Ele está acima de todas as coisas. A Ele devemos consagrar nosso trabalho e nosso tempo.

Durante os meus anos de sacerdócio, tive a graça de ver muitas pessoas redescobrirem a oração e reservar um tempo de suas vidas para escutar a Deus. São pessoas que acordam uma hora antes de sair para o trabalho e rezam o terço ou leem a Bíblia. São minutos de meditação e recolhimento para escutar Jesus, como fez Maria. Essas pessoas tiveram suas vidas transformadas, porque na oração o Espírito Santo se derrama sobre nós e nos fortalece.

Posso dar meu próprio testemunho. Desde que me consagrei à Igreja, são muitas as minhas atividades diárias, são muitos os que me procuram, minha agenda de compromissos está sempre cheia. Mas não abro mão de meus momentos a sós com o Senhor. Costumo acordar bem cedo para estar com Ele. Celebro minha missa e faço minhas orações pessoais, rendendo a Jesus tudo o que sou e tenho. Minhas forças se renovam e ganho energia para enfrentar o dia com boa vontade e alegria.

Recomendo outra excelente experiência para estar com Jesus e ouvir o que Ele tem a nos dizer: os retiros. Caso você não possa participar daqueles organizados pela Igreja, faça o seu retiro particular. Vá para um lugar que proporcione paz. Pode ser um parque, uma praia, uma praça. Leve sua Bíblia, leia um pouco e reflita. Deixe que Jesus se aproxime de você. Permita que esse encontro aconteça. Entregue-se a Jesus com toda fé, Ele se revelará e fará um Kairós em sua vida.

As pessoas do mundo moderno estão sedentas de algo que as preencha, de algo que traga paz ao seu íntimo, de algo que dê alguma razão a suas vidas. Eu posso com toda a certeza afirmar que a sede que temos é de Deus. Abra espaço para Ele ocupar o seu dia a dia e, assim, você será mais feliz.

OREMOS

Jesus, quero ser como Maria, que sabia a
importância de estar perto da verdade. Quero
me ajoelhar a Teus pés e fazer de Tuas palavras
meu principal tesouro.
Quero ter um Kairós em minha vida e por isso
consagro a Ti meus afazeres diários. Perdão,
Jesus, pelas vezes que coloquei outras coisas
antes de Ti. Hoje dou o lugar que Te pertence
em meu coração.
Reina em minha vida, Jesus!
Amém.

13
A filha de Jairo

49 *Enquanto ainda falava, veio alguém e disse ao chefe da sinagoga: "Tua filha acaba de morrer; não incomodes mais o Mestre".* **50** *Mas Jesus o ouviu e disse a Jairo: "Não temas; crê somente e ela será salva".* **51** *Quando Jesus chegou à casa, não deixou ninguém entrar com Ele, senão Pedro, Tiago, João com o pai e a mãe da menina.* **52** *Todos, entretanto, choravam e se lamentavam. Mas Jesus disse: "Não choreis; a menina não morreu, mas dorme".* **53** *Zombavam Dele, pois sabiam bem que estava morta.* **54** *Mas segurando Ele a mão dela, disse em alta voz: "Menina, levanta-te!".* **55** *Voltou-lhe a vida e ela levantou-se imediatamente. Jesus mandou que lhe dessem de comer.* **56** *Seus pais ficaram tomados de pasmo; Jesus ordenou-lhes que não contassem a pessoa alguma o que se tinha passado.* **(Lc 8,49-56)**

Nesse trecho do Evangelho de São Lucas, vemos mais uma vez o tempo do mundo (Khronos) se dobrar ao tempo de Deus (Kairós). Apesar de ocupar um cargo importante na sinagoga, Jairo se sentiu impotente diante da agonia de sua única filha, que tinha apenas doze anos. Na esperança de salvá-la, sai em busca de Jesus, atira-se aos pés Dele e implora que vá à sua casa. Mas alguém chega dizendo que era tarde demais, a menina já havia morrido. Jesus não Se abala. Pede que Jairo apenas creia no poder Divino. O tempo do mundo havia acabado para aquela jovem, mas o tempo de Deus era muito maior. Jesus sabia que havia um Kairós reservado para ela.

Era costume da época contratar pessoas para lamentar os mortos, do mesmo jeito que no Nordeste brasileiro, até pouco tempo, se contratavam as carpideiras para chorar e rezar por aqueles que se foram. Por isso havia tanta gente na casa de Jairo, mas, dessa vez, Jesus preferiu praticar o milagre longe de todos os olhares. Permitiu apenas a entrada de três apóstolos e dos pais da menina no quarto. Talvez Sua intenção tenha sido a de reforçar para aquele chefe religioso, que havia fraquejado e perdido a confiança nos poderes

divinos, a certeza de que Deus está sempre pronto para salvar os que têm fé.

Outra coisa que podemos aprender com esse episódio
é que o tempo de Deus pode nos parecer demorado, mas,
quando chega, é infalível e renovador. Tudo o que precisamos é esperar com toda a nossa fé. Veja que Jesus não se
apressou para chegar à casa de Jairo. Também não se im-
portou com a zombaria da multidão quando disse que a
menina apenas dormia. Ele sabia que era o Filho de Deus
na Terra e conhecia os poderes que tinha. Mostrou na hora
certa que para Deus nada é impossível, até mesmo ressus-
citar os mortos. O Khronos não conta diante da exatidão
do Kairós.

A ressurreição da filha de Jairo me faz recordar das palavras de Jesus para Marta, quando Ele ressuscitou Lázaro:
"Eu sou a ressurreição e a vida. Aquele que crê em mim, ainda que esteja morto, viverá. E todo aquele que vive e crê em
mim, jamais morrerá" **(Jo 11,25-26)**. Nos sermões e palestras
que faço, costumo lembrar meus amados do quanto nossa
vida aqui na Terra é passageira. O que são cem anos regidos
por Khronos, em comparação com a vida eterna no Céu, o
tempo Kairós? O melhor que temos a fazer é nos preparar
para isso desde já. Enquanto estivermos por aqui, devemos
viver a nossa vida com a mente em Cristo. Isso significa viver de forma íntegra, em constante relação de amizade com
Deus, utilizando até a última gota da nossa capacidade de
amar. Esta é a melhor maneira de cultivar o Céu na Terra.

O desespero de Jairo também me faz pensar naqueles
que perderam entes queridos. Para essas pessoas faço aqui

uma comparação que serve de consolo e de esperança. Ao longo de toda a minha infância, as férias da família eram em Santos, cidade do litoral do estado de São Paulo. Eu gostava de observar os navios que deixavam a costa até que desaparecessem na linha do horizonte. Aos meus olhos de menino, eles simplesmente sumiam. Claro que isso não era verdade, eles apenas desapareciam do meu campo de visão quando adentravam águas profundas. Assim acontece com os mortos. Eles não deixaram de existir, apenas estão nas águas profundas do coração de Deus. Se perseverarmos na fé, certamente iremos encontrá-los depois da nossa morte. Lá estarão eles nos esperando no porto do Senhor.

Enquanto isso, para que transformarmos nossas vidas num inferno? Não precisamos nos perder e nem nos dispersar uns dos outros. O Céu pode ser aqui. Devemos ser uma nova geração que vive na presença do Senhor. Ele deve estar conosco em todos os momentos, mesmo nas tarefas que aos nossos olhos pareçam insignificantes. Só assim nossa vida sofrerá uma transformação. É Jesus sempre nos dizendo: "Eis que eu renovo todas as coisas" (Ap 21,5).

Há um Kairós esperando por você, assim como havia para a filha de Jairo. Permita que Jesus faça com que ele aconteça em sua vida. Basta que você acredite nas palavras do Senhor: "Não temas; crê somente" (Mc 5,36). Fortaleça sua fé na oração e aguarde o tempo de Deus.

Em nome de Jesus, eu peço por seu Kairós e para que tudo em você seja novo.

OREMOS

Jesus, renova a minha vida. Quero viver na Tua
presença e ter meus olhos voltados para o Céu.
Alivia meu coração de toda a saudade que sinto de
meus entes queridos que partiram para viver ao
Teu lado. Sei que no futuro nos encontraremos
no Paraíso.
Faz um Kairós em minha vida, Senhor.
Amém.

14
Vinda do Espírito Santo

1 *Chegando o dia de Pentecostes, estavam todos reunidos no mesmo lugar.* **2** *De repente, veio do céu um ruído, como se soprasse um vento impetuoso, e encheu toda a casa onde estavam sentados.* **3** *Apareceu-lhes então uma espécie de línguas de fogo, que se repartiram e pousaram sobre cada um deles.* **4** *Ficaram todos cheios do Espírito Santo e começaram a falar em outras línguas, conforme o Espírito Santo lhes concedia que falassem.* **5** *Achavam-se então em Jerusalém judeus piedosos de todas as nações que há debaixo do céu.* **6** *Ouvindo aquele ruído, reuniu-se muita gente e maravilhava-se de que cada um os ouvia falar na sua própria língua.* **7** *Profundamente impressionados, manifestavam a sua admiração: "Não são, porventura, galileus todos estes que falam?* **8** *Como então todos nós os ouvimos falar, cada um em nossa própria língua materna?* **9** *Partos, medos, elamitas; os que habitam a Mesopotâmia, a Judeia, a Capadócia, o Ponto, a Ásia,* **10** *a Frígia, a Panfília, o Egito e as províncias da Líbia próximas a Cirene; peregrinos romanos,* **11** *judeus ou prosélitos, cretenses e árabes; ouvimo-los publicarem em nossas línguas as maravilhas* *de Deus!".* **12** *Estavam, pois, todos atônitos e, sem saber o que pensar, perguntavam uns aos outros: "Que significam estas coisas?".* **13** *Outros, porém, escarnecendo, diziam: "Estão todos embriagados de vinho doce".* **(At 2,1-13)**

Se compararmos a vida dos Apóstolos no início do disci-
pulado, ou seja, quando começaram a seguir os passos de
Jesus, com a vida que passaram a ter depois do Pentecostes,
quando o Espírito Santo desceu sobre eles, percebemos
grandes mudanças no destino de cada um desses homens.
Vou dar três exemplos.

Pedro foi covarde e negou Jesus, mas depois do Pentecostes anunciou Deus em vários lugares. Quando foi crucifi-
cado, pediu para ser pregado em uma cruz invertida porque
não se achava digno de morrer da mesma forma que Jesus.

João era intempestivo e ganhou de Jesus o apelido de
Filho do Trovão, mas depois do Pentecostes virou o apóstolo do amor.

Matias substituiu o traidor Judas Iscariotes, recebeu o
Espírito Santo no Pentecostes e foi pregar a palavra de Deus
na Etiópia.

Todos os Apóstolos cumpriram a missão de levar adiante os ensinamentos de Jesus.

Foi por isso que escolhi essa passagem para encerrar
meu livro. Quando lemos os Atos dos Apóstolos, no Novo
Testamento, descobrimos que a missão daqueles homens

continua porque a Igreja está sempre aberta a novos fiéis. Hoje, os apóstolos e discípulos de Jesus somos nós. Todos nós que confiamos em Cristo e espalhamos Suas palavras entre nossos filhos, amigos e irmãos. A experiência que eles tiveram no Pentecostes pode ser vivenciada por nós por meio do Batismo no Espírito Santo.

Gosto de ler sobre o retiro de Duquesne, realizado em 1967, em Pittsburgh, nos Estados Unidos. Reunidos em um final de semana de muita meditação e orações, jovens estudantes católicos vivenciaram o derramamento do Espírito Santo, tal como aconteceu com os apóstolos de Jesus durante o Pentecostes. Esse contato pessoal com a graça Divina deu origem à Renovação Carismática Católica. Não foi um novo sacramento, mas um Kairós. Um verdadeiro Kairós na vida daquelas pessoas.

Volto a lembrar aqui de nossa querida Tia Laura. Durante suas pregações nos cenáculos realizados nos estádios do Pacaembu e do Morumbi, em São Paulo, ela curava multidões, mas também possuía o dom de fazer com que as pessoas recebessem o Espírito Santo e vivenciassem um encontro com Cristo. Ainda muito jovem, participei do grupo de oração Deus Conosco, criado por ela, em Lorena, cidade do interior de São Paulo, e fui muitas vezes tocado pela luz do Espírito Santo. Essas experiências foram fundamentais para que eu me descobrisse como religioso e aceitasse minha missão. Mesmo como seminarista salesiano, em Cruzeiro, também no interior paulista, continuei a frequentar as reuniões de Tia Laura, o que só ajudou a fortalecer minha vocação e minha fé.

Logo depois da morte de João Paulo II, o monsenhor Jonas Abib contou em uma das suas palestras que este amado papa teve uma experiência com a Renovação Carismática Católica quando ainda era cardeal, em Cracóvia. A um grupo de jovens de sua igreja, que se reunia para orar, João Paulo II pediu que rezassem por ele. Em seguida o Santo Padre recebeu o dom de línguas. Tornou-se, assim, o papa iluminado pelo Espírito Santo e transformador da Igreja. Também o Papa Bento XVI sempre viu com bons olhos a Renovação Carismática Católica, tanto que deu o reconhecimento pontifício às comunidades Canção Nova e Shalom, dois expoentes do movimento no Brasil.

Digo com toda a certeza que a comunhão com o Espírito Santo leva à verdadeira conversão com Deus. Não tenha medo de receber os dons da luz Divina. Eles são as ferramentas que Deus nos dá para perseverarmos na fé, mesmo diante das atribulações do mundo moderno.

Ao longo de minha experiência como padre, vi, e ainda vejo, acontecer várias vezes o Kairós na vida das pessoas depois do derramamento do Espírito Santo. Tanto que a primeira fita cassete que gravei foi a *Coroa do Espírito Santo*, porque sempre soube que este é o caminho para o Kairós acontecer em nossas vidas.

Creia, ore, espere. O seu Kairós está sendo preparado por Deus.

OREMOS

Jesus, quero me unir a Ti em oração.

Quero me fartar de Tuas palavras e me deixar invadir pelo Teu amor.

Concede-me, Senhor, a graça de ser tocado pela luz abençoada do Espírito Santo.

Que ela ilumine o meu caminho e fortaleça-me sempre que minha fé fraquejar.

Que ela cresça em meu íntimo e se manisfeste em um grande Kairós, transformando minha vida de forma profunda e permanente.

Obrigado por Tua bondade, Senhor.

Obrigado por Teu amor.

Amém.

Bênção

Com a autoridade que recebi da Igreja, eu, Padre Marcelo Rossi, peço que neste momento você seja iluminado pelo Espírito Santo.

Que todo o seu ser se transforme e se renove para uma vida de paz e alegria junto a Cristo.

Que seus pensamentos sigam pela verdade da Palavra de Deus.

Que você receba todos os dons para ser um instrumento de fé na vida de seus irmãos e irmãs.

Que seu amor por Nossa Senhora aumente e que a oração seja a sua fonte inesgotável de fortalecimento e graça.

Que o Kairós Divino seja pleno e definitivo em sua vida.

Em nome do Pai, do Filho e do Espírito Santo.

Amém.

Este livro foi composto na fonte Chronicle Text e
impresso em papel pólen Soft 80 g/m², na gráfica Imprensa da Fé.
São Paulo, janeiro de 2014.